XIAO XIAO LI CAI SHI ER TONG CAI SHANG PEI YANG HUI BEN

小小理财师——儿童财商培养绘本

母亲节的礼物

小麒麟童书馆　编

学会花钱

北京日报出版社

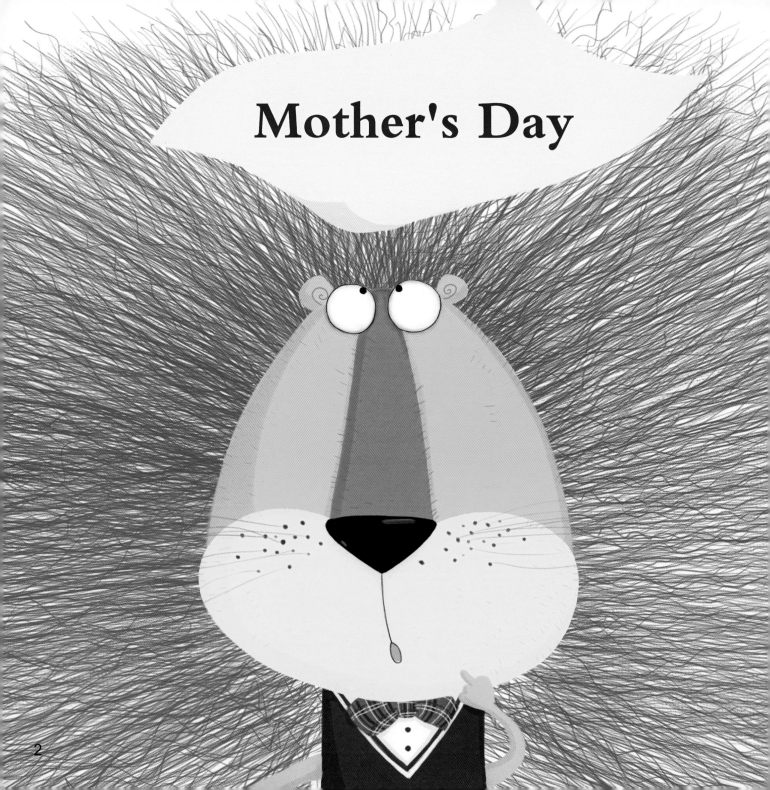

Mother's Day

"今天是母亲节,我能为妈妈做些什么呢?"一大早,小狮子大卫就坐在门口,托着下巴思考。

"爸爸，今天是妈妈的节日，我为妈妈做些什么好呢？"

"大卫，你自己拿主意吧，只要是用心准备的礼物，妈妈都会开心的。"

4

大卫想了想，他打开自己的储蓄罐，从里面拿出了50英磅。

妈妈平时最喜欢吃煎牛排和烤三文鱼，对，还要配上一瓶红葡萄酒。

大卫来到超级市场，老远就看到生鲜摊儿旁边围了一大堆人。

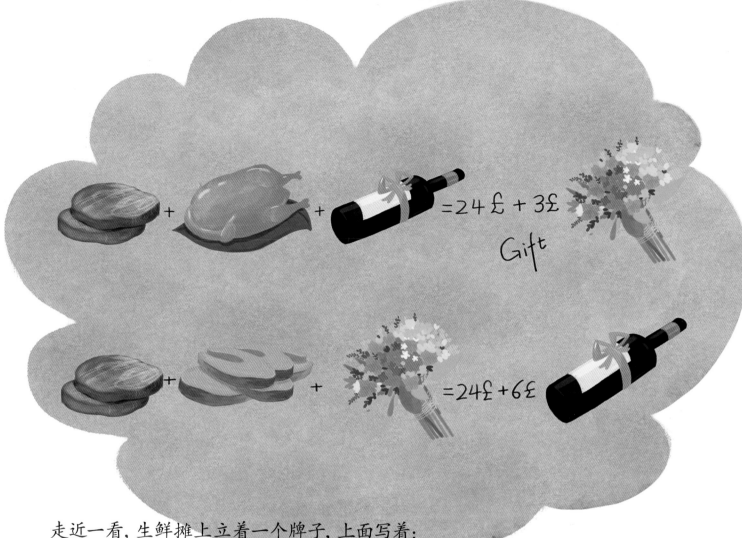

走近一看, 生鲜摊上立着一个牌子, 上面写着:

套餐一:

1公斤牛排 (17英镑) +1公斤火鸡 (6英镑) +1瓶红酒 (10英镑)

=24英镑, 加3英镑送鲜花1束。

套餐二:

1公斤牛排 (17英镑) +1公斤三文鱼 (9英镑) +1束鲜花 (3英镑)

=24英镑, 加6英镑送红酒1瓶。

我买套餐1

我买套餐2

10

"买哪个套餐好呢?"大卫自言自语。。

买套餐1

我买套餐2

11

费了好大的劲，大卫总算明白了。

套餐一原价要36英镑，现在只需27英镑，可以节省9英镑。

套餐二原价是35英镑，现在需要30英镑，只能节省5英镑。

明明是套餐二的原价比较便宜，为什么活动价反而比套餐一贵了呢？

　　大卫不想再纠结了，他想到妈妈平时总是给他买他最喜欢的东西，就坚定地喊道："叔叔，我要一份套餐二。"

大卫一边忙着开红酒、点蜡烛，一边喊道："爸爸，快来帮忙啦！"

"妈妈，节日快乐！"

"干杯!干杯!干杯!"
"等等,等等,我要给你姥姥打个电话。"

图书在版编目（CIP）数据

母亲节的礼物：学会花钱 / 小麒麟童书馆编 .
北京 ： 北京日报出版社 ， 2018.11
（小小理财师 ： 儿童财商培养绘本）
ISBN 978-7-5477-3176-5

Ⅰ．①母… Ⅱ．①小… Ⅲ．①儿童故事－图画故事－
中国－当代 Ⅳ．① I287.8

中国版本图书馆 CIP 数据核字 (2018) 第 213767 号

小小理财师：儿童财商培养绘本

母亲节的礼物：学会花钱

出版发行：	北京日报出版社
地　　址：	北京市东城区东单三条 8-16 号东方广场东配楼四层
邮　　编：	100005
电　　话：	发行部：(010) 65255876
	总编室：(010) 65252135
印　　刷：	莱芜市新华印刷有限公司
经　　销：	各地新华书店
版　　次：	2018 年 11 月第 1 版
	2018 年 11 月第 1 次印刷
开　　本：	889 毫米 ×1194 毫米　1/20
总 印 张：	8
总 字 数：	10 千字
总 定 价：	96.00 元（全八册）